KALEIDOSCOPE

STICKER MOSAICS

WILD creatures

hinkler

A2
A10
A6
A3
A11
A37
B10
A38
A13
A14
A25
A24
A23
D14
D15
D30
D1
D2
D19
D24
D25
B14
C7
D21
D7
C28
A18
C21
D20
A5
A36
B13
B1
C10
C32
D16
A4
A7
B26
C18
C19
C20
C29
C30
D3
D8
A9
A35
B17
C16
C17
C31
D9
A8
B18
C22
C12
D26
D27
D32
A12
B27
B5
D31
A33
C11
C23
D17
B24
B4
A39
B33
A34
B32
C24
C13
A32
B25
C6
A40
B23
C14
B15
B2
B3
B31
A22
C15
B30
A21
D22
D4
B29
A41
C25
D33
B28
A20
C33
D18
D28
A19
B19
C8
B16
D10
D35
D36
C36
D23
A42
C26
D34
D29
B20
B6
B8
C4
C34
C5
B9
C27
B7
C35
D6
C3
D11
D5
C2
A26
B21
D12
A15
A44
A16
A45
C1
A17
B22
D13
B34
C9
A43
A31
A48
A47
A30
B11
B12
A28
A29
A27
A46

D21
B42
B36
D20
B37
A32
B41
B11
B12
A33
B33
B34
B35
A31
D19
B53
B13
B38
D18
B32
D17
C8
D16
A34
B39
C9
B52
B31
D15
B14
B40
D14
C10
C7
B51
D13
A35
C11
B15
C12
A36
D11
D12
B50
B16
A30
D1
A29
C6
C13
D2
A22
D24
B17
B46
D10
C24
C18
A21
D25
A1
A23
C36
B47
B22
A4
B28
C19
A25
D22
D23
C44
B18
C46
C5
C14
C28
C17
A20
B30
B1
A2
B23
A5
B44
A16
C16
A6
B45
C45
B43
C23
D31
C25
C39
B2
A3
B3
B24
A37
D4
A13
C29
C15
A19
B25
D30
C27
D3
D9
A24
B4
C26
C4
A18
B5
B26
C20
B29
A14
B6
B27
C3
A7
A26
A17
B7
A12
A8
B8
B9
B10
B49
A9
D8
C34
A10
A28
A11
C30
C31
C32
A15
A27
C33
C38
D28
C21
C22
D7
D29
C35
C2
B48
B21
C43
D27
C1
D5
B20
C42
D26
C37
D6
D34
B19
D32
C40
A39
C41
A41
A38
A40
D35
D33

C1
B40
B14
C23
A31
A18
B13
C16
A20
A30
B3
A32
A19
C2
C17
C24
B26
A34
B12
A33
B4
A9
B43
A27
A8
B22
A35
A1
B46
B2
B41
B7
A28
A12
C3
B27
A13
C9
A21
C25
A22
B16
A10
B45
B20
B28
B1
C18
B5
C30
A11
C48
C28
C29
A14
C52
A50
B34
C27
B15
B8
A2
C10
C11
A36
C26
B23
C42
B6
B44
B35
A41
C19
A23
A47
C36
C43
A4
C53
A40
B36
A3
B42
B17
B9
A24
A25
C12
B33
B32
A15
A42
A48
A49
C31
A5
A45
C49
A29
C50
A26
B18
B24
B19
A39
C32
C20
A37
A44
A46
A16
A38
C33
A43
C37
B25
C54
C44
C13
C55
C58
B21
C38
C59
B39
C4
C21
B47
C51
C60
B29
B38
B10
B51
C45
C5
C6
C56
A51
B11
C34
C14
B30
B50
C22
B49
C40
B31
C41
C57
B37
B48
A17
C15
A7
C47
C46
A6
C39
A54
C35
A53
C8
A52
C7

A1
C25
B12
B11
D8
C26
A18
C23
C24
A29
C1
B13
A19
B10
A2
E26
C27
E23
A17
D7
E7
A31
E24
E1
A30
B9
A3
D13
B18
E27
C10
D22
A16
E2
E22
C28
A38
C11
A10
D21
A14
D12
B24
E9
B26
D11
A32
B25
C2
D6
C4
A12
C3
D10
D5
B30
A20
A33
E29
A11
E10
E25
A37
E21
D25
A22
A36
A35
D26
D3
C5
C6
D17
D19
E3
D20
C29
E30
E31
D4
E32
B8
A21
B17
E17
B23
C30
D27
D16
C8
E28
A23
C22
E11
E13
D18
C12
C7
E8
C34
A34
D2
A15
E4
B29
E18
E6
D24
B22
A24
C13
E14
B16
A4
D15
A13
C35
D9
C15
A9
E5
B21
B27
C31
B15
C36
B14
C32
C21
B28
C9
E12
B19
C16
E19
D14
A25
C37
E15
B7
E33
A8
C14
A6
A27
A26
A5
D23
D1
E16
B20
C33
A28
B1
A7
E20
B6
C17
B2
C18
C20
B3
B4
C19
B5

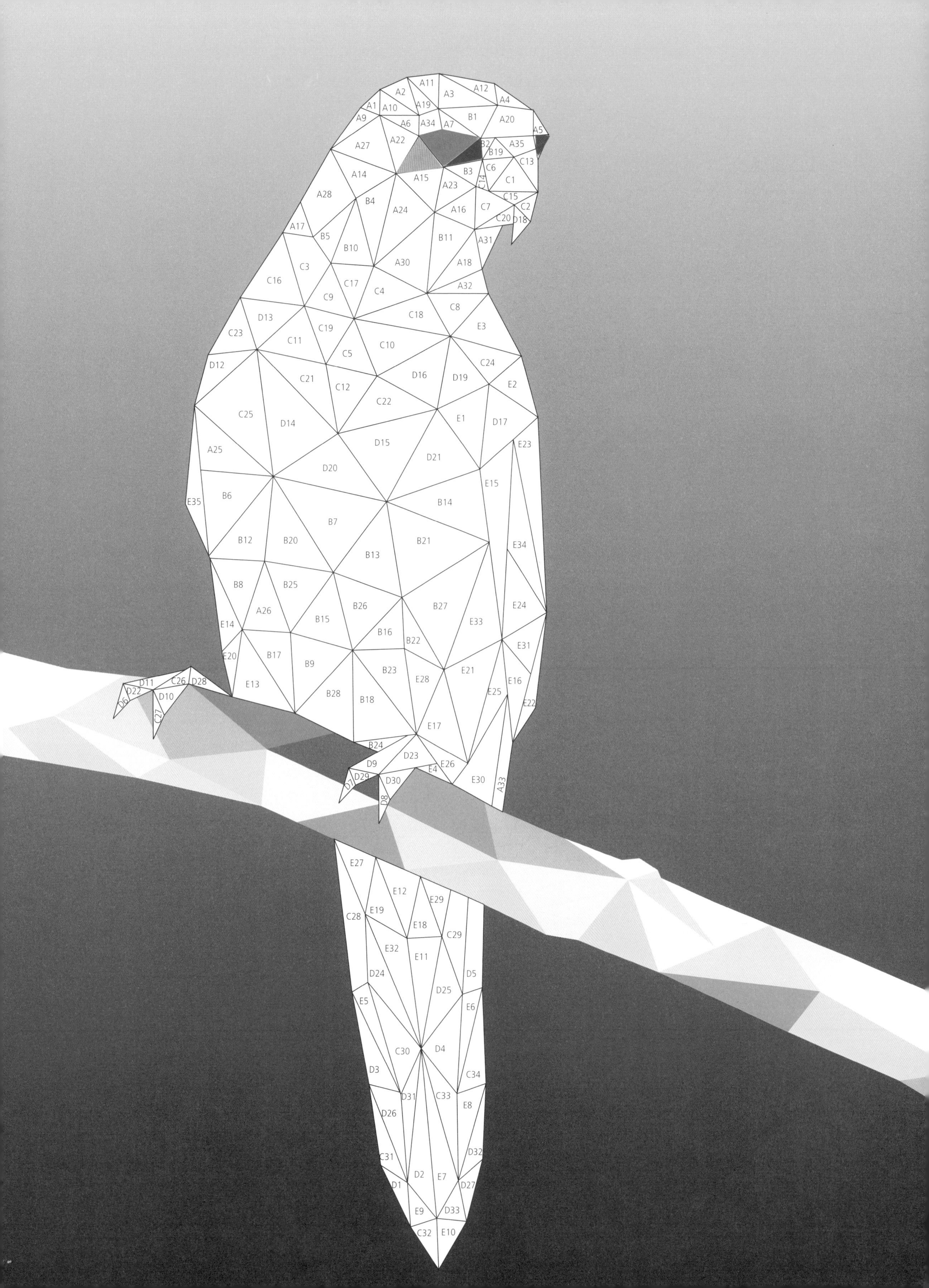
A11
A2
A12
A3
A1
A10
A19
A4
A9
A6
A34
A7
B1
A20
A5
A27
A22
B2
B19
A35
C13
A14
B3
C6
A15
A23
C14
C1
A28
B4
C15
A24
A16
C7
C2
C20
D18
A17
B5
B11
A31
B10
C3
A30
A18
C16
C17
C4
A32
C9
C8
D13
C18
E3
C23
C19
C11
C10
C5
C24
D12
C21
D16
D19
C12
E2
C22
C25
D14
E1
D17
D15
E23
A25
D20
D21
E15
E35
B6
B14
B7
B12
B20
B21
E34
B13
B8
B25
A26
B26
B27
E24
B15
E33
E14
B16
B22
E31
E20
B17
B9
B23
E21
D11
C26
D28
E16
D22
E28
D10
E13
E25
D6
B28
B18
E22
C27
E17
B24
D23
D9
E26
D29
E4
D30
E30
D7
A33
D8
E27
E12
E29
C28
E19
E18
C29
E32
E11
D24
D5
D25
E5
E6
C30
D4
D3
C34
D31
C33
E8
D26
D32
C31
D2
E7
D27
D1
E9
D33
C32
E10

D32
B35
C1
B36
D1
D2
C26
D33
D31
D30
B19
B24
D4
D5
C3
C2
D3
C27
B38
D34
D36
D35
B27
B26
C25
D7
D29
C4
D8
B37
B25
D6
B18
B20
D28
C5
C24
B28
B39
C6
D11
B1
D10
D27
D9
C28
D37
D21
B30
B40
D12
B41
B17
B2
C23
D25
B34
C7
B29
D26
D14
D15
C8
D13
D20
B42
B21
B43
D23
B33
D22
C29
C9
B31
D40
A23
D19
C32
A1
D38
C33
B22
C10
D16
A30
D39
D24
A2
A24
C31
C30
C34
B16
C35
C11
A3
B4
B3
A22
B23
C22
C12
D41
B45
B44
C36
C37
C38
B6
B5
C21
D42
B15
C13
A4
C40
C39
B7
D17
A25
C20
B46
C41
C19
B32
B49
B8
C42
B47
D18
C14
B48
B9
B14
A5
A7
C15
C45
B13
D43
C43
A6
D44
C18
C44
A8
A9
C46
B10
C49
B12
A10
D45
A26
A11
C16
C50
A12
C47
C17
A27
D46
C48
C51
A14
B11
A20
A13
A28
D48
C54
C52
D47
C53
A21
A15
A16
A19
D49
D52
D51
D50
A29
A18
C55
A17

D27
B31
C3
E16
A14
C14
B21
D28
C15
C23
E17
A15
F25
B3
E18
D18
B22
D29
C16
A16
B32
D19
E4
F26
E19
F27
B2
A7
C17
E5
B4
D20
A17
C24
B39
B40
B23
E20
B1
F28
C4
E6
E21
C18
C2
F1
A18
B33
B19
E41
B5
A23
D6
A8
D5
C5
D30
A22
B41
F29
C19
B20
B6
B24
A19
C25
E40
D21
E22
F2
E23
A2
C6
F15
B7
F16
D31
D17
E24
C20
B16
C7
B34
A24
A20
D22
E3
B8
E7
F30
D32
F17
F3
A5
E25
E1
A21
B18
A25
A9
C26
B9
A26
C21
F5
E8
F4
C8
F31
B17
D7
E26
F19
E2
B25
F18
A4
E9
A27
B10
D33
D23
F6
F7
E27
A1
D8
E28
D16
D2
F20
A28
E10
C27
D3
F8
A6
F21
C1
D9
A10
E29
A29
D1
F9
D10
A3
E30
F32
C9
F11
B11
D4
A11
F22
B26
F33
F10
E11
B35
B42
B29
E31
C13
F23
D11
C10
C12
E33
F12
D34
E32
D35
F14
F24
C11
A30
F34
D13
D12
D15
B30
A12
F35
B43
B12
C28
F13
D14
E15
B44
F36
E14
E34
E37
E12
D24
A31
B13
B14
E13
A13
D25
B27
E36
D26
A32
D37
B15
B28
D36
E38
A33
E35
C22
E39
F38
F37
B37
F39
B38
B36
C30
C29

A1
E11
E35
F42
C17
D3
D4
B13
D5
A2
E1
A26
D1
A23
C1
D2
D23
F2
F3
D6
F31
F18
C18
C2
F1
F16
B14
B16
A24
B15
D24
D9
A3
A25
C25
D8
B1
E45
E37
E44
E36
C19
F17
C22
E12
F19
D7
E14
E16
A4
C20
C24
E13
E15
E17
D14
C4
B3
C7
C26
A9
C29
A12
E19
E29
E18
F8
E30
D15
B18
B20
E21
F43
C8
F9
A13
F20
C31
D30
B28
F33
E5
E3
E4
F23
D31
A14
D16
F28
E22
F44
F34
E23
F10
B30
F24
F11
F35
C9
D32
D33
F13
D17
E24
C32
B31
B32
C10
F12
F45
D18
D34
A15
B8
F38
B33
F36
A17
A16
F39
D35
B21
E25
B9
F37
B22
D36
F46
F25
C11
F14
E6
B34
E7
A18
D19
F41
F15
B35
D37
F40
D20
E32
E38
A19
F29
E31
F30
A28
B10
E8
F47
E46
C14
C12
C13
D21
F48
A20
A29
E9
E47
A30
E33
E41
B11
E39
A31
E49

A1
D28
D30
D29
D1
E1
B2
B1
A2
A3
C1
C8
E21
C7
E33
E34
D31
E2
D2
E22
C9
D32
D3
B3
A4
A7
E3
D33
D4
C10
D34
A5
D5
C11
B4
A6
D35
C12
A8
D6
C13
C14
B5
A9
D7
A10
D8
C15
D37
D36
D10
A11
D9
D11
C18
D38
E4
C16
B6
D43
C24
A15
D15
D12
D13
D14
C25
C19
C17
A12
B7
D20
C23
A16
B8
D39
C26
D21
D16
C20
D17
A13
D26
A14
D22
E13
E38
C22
D42
B9
E19
C27
A17
D41
D18
D27
E14
C5
E12
C3
E43
E20
C21
A18
D40
E15
C28
C4
E5
E35
C2
E44
D19
E27
E45
E16
D23
C30
E17
C32
C31
E39
E23
E31
C29
E11
E6
E28
E26
E29
A19
D44
E40
A24
E46
A20
E30
E24
E25
E7
C33
D24
A21
E32
A22
C6
B12
D45
E8
E18
D25
A23
B10
B13
E9
B14
E41
B11
E36
A25
E10
E42
E37

B3
B2
E8
D18
E1
A1
E7
C24
C1
D1
E15
B23
B18
A2
E2
B1
D12
D2
A15
D5
A3
E16
D7
E3
C23
C9
E6
A4
C7
C8
D6
B9
E4
E13
B13
D4
A5
C16
A6
E9
B22
A28
B11
B12
D3
C5
B6
C17
C13
E18
C4
C15
B5
A26
A27
B16
B10
A10
B4
E14
B15
A7
C2
A25
D36
C6
A8
D37
A18
D17
A17
D8
B14
D13
A16
B7
B8
D20
B17
A9
D19
E5
D16
D14
D15
C25
A20
A12
B29
E19
E20
E21
B21
B32
C14
C3
D21
E10
B19
B20
B24
A19
E11
D38
E12
A29
D9
B30
E17
A11
D22
D30
E22
B31
D25
C12
A21
D10
C26
E23
D31
D24
B25
C20
C10
A30
C11
A22
D23
B33
C27
C28
A13
C18
D11
D28
A23
B34
D27
D32
C29
A34
B26
A31
A14
B36
D26
B35
C21
C19
A24
A33
B37
B27
D35
E24
A32
B38
B42
C22
E25
D33
B41
D29
B39
B28
E26
B40
D34

C20 A19 B5 A3 B26 A6 C5 C6 B6 B25 A28 A29 A30 B10 A13 C14 C25 A12 B1 B4 A21 B7 A7 B11 A14 A8 A1 A23 A25 C18 A17 A31 A32 A33 C7 C15 C8 A22 B12 B15 A16 B22 C27 B23 C28 B24 B8 C21 A15 A9 A27 A11 A10 C13 A24 A4 B21 C24 B13 B18 C10 C19 C26 B14 B16 B17 B19 A2 C11 B2 C23 C16 C4 C9 C17 A18 C1 C3 B9 B27 C22 B28 A5 C2 B3 A20 B20 C12 A26
E27 E4 E5 F9 F33 F8 F10 F34 E28 F11 F35 F36 E29 F1 E26 E3 F23 F26 F41 D9 D6 F27 F2 F13 D14 E2 F24 F7 D23 D12 E16 F38 E25 E7 D2 D3 F28 D1 D4 E20 E14 D10 E13 F25 E1 F32 E32 E33 E24 E17 F22 D7 E11 F19 F31 D24 F15 F37 E30 F42 F20 F29 D25 D5 E21 D13 E34 E8 E10 F17 E22 F3 D19 E31 F21 D11 E6 D26 D15 F16 D8 E15 E9 F18 F12 D18 F6 E35 D20 D27 E23 E38 F4 E36 D21 F30 F40 E18 D22 E12 D16 E37 E19 F14 F5 D17 F39

B1
C3
E22
D22
F1
C5
C6
E1
A31
B4
A24
E23
F2
C7
C2
F22
A32
C39
F3
E2
E25
E3
B2
A25
C4
E24
C28
A15
D34
C40
E4
F23
B36
D24
E26
A28
C1
B33
A16
D23
C29
D14
B37
D25
D11
D35
A27
E27
F4
E30
B5
D26
B6
A4
F6
B34
E9
B35
F5
B21
B3
A1
D12
D13
D36
E28
E29
E5
A26
A17
C41
D38
D39
D1
A33
A34
E31
D27
D37
A5
A29
C8
E45
B22
A18
C42
D28
A6
E6
F7
A12
F16
E11
D16
B7
E7
B23
F17
E10
A2
D15
D17
E32
E8
B32
E33
D2
A30
B39
D3
A19
B38
E12
D29
E13
F18
A13
C26
A3
C27
C9
F8
A23
C35
D30
D42
F9
E34
C25
D40
C36
B8
E14
C30
E35
A35
E15
C37
B24
C38
E37
C10
D31
C11
A11
A36
A7
D6
D7
A20
B9
D4
D41
E38
E16
B40
E36
B29
B30
F10
C12
F19
D32
F11
A22
C33
B12
D21
C17
A8
B16
C20
E19
E18
B10
A37
A21
C21
A14
C32
D18
C13
A40
F20
A9
D5
C16
E41
D20
D8
C14
D19
B41
C31
B42
A10
E39
A38
B17
C15
F15
F12
B11
A39
E17
F14
E42
C22
E40
C19
B25
B31
F21
B18
F13
E20
A41
B20
B27
D9
B13
E21
C18
B26
B19
E43
C34
D33
C23
B28
A42
E44
D10
C24
B14
B15

C1
D36
E11
E1
B4
A1
C4
A4
E2
B1
C2
A24
C3
A25
B5
D35
A2
C13
D17
B6
D37
A5
B2
A3
B3
B27
B26
A26
C14
D18
E3
D34
A27
E25
E26
B7
A28
D20
D33
B8
D19
C15
A6
A29
E27
E4
D1
C5
D38
C16
B9
C19
B28
E34
A8
D16
E31
A7
E15
B29
C6
E28
D39
C37
C36
E5
C20
C7
C17
E33
C38
E35
C33
C21
C18
E32
B22
A23
B30
E30
B10
C34
D2
A38
E23
E6
E12
A39
E38
E9
E10
B23
D40
E7
B32
E39
C35
B31
D21
C11
C12
A19
C31
C32
E37
E8
A9
E16
A14
B11
A37
E40
C8
C22
E13
B24
D3
E24
C28
C23
D4
D22
B12
E17
D14
C29
B21
D15
D32
B33
D5
B25
B13
A18
E14
A15
B19
C30
C24
A22
A10
C9
B14
D31
A20
A36
D6
A30
D23
B20
A21
E29
E41
E19
D29
D30
B15
E18
C27
A16
A17
C10
B34
D7
B18
A12
D28
D27
A11
D41
D42
C26
E43
A13
E44
D8
D13
D9
C25
E36
E20
E42
B35
E46
A35
A31
E45
D26
E21
D25
D12
A32
D10
A33
D24
D44
B16
E22
B17
D43
D11
A34

A39
A43
D1
E6
D16
A1
C1
A14
A2
D5
D9
E4
A40
A42
A3
D2
A41
E5
D15
D4
D10
A4
D3
E7
D14
C2
A16
B1
C15
A13
B12
B31
B34
A5
A6
A15
E8
E17
E1
D6
D11
E3
E18
A12
E2
B2
D7
D8
D12
D13
B13
A17
C3
C16
C26
C43
C44
B32
B5
B9
B33
B3
B4
C19
B11
B14
A7
E9
C18
A44
D17
C24
C17
C25
C4
C20
C23
B6
B10
A18
A9
D39
E11
D18
B7
B8
A8
C6
C21
C22
A19
E10
A11
E12
C5
A10
D40
E13
A20
D19
B15
D20
D38
B20
D37
C33
C36
C27
D21
C42
B17
B18
B19
D36
B16
B21
C7
A21
C10
C13
B35
A36
E14
C34
C35
B41
C32
C37
C12
B22
B26
D22
B23
B25
D35
A27
A30
B24
C28
C41
E15
C11
A22
C14
B36
C8
A26
A32
A37
B42
A29
A31
C29
C40
A25
A34
B27
B29
B37
D34
A28
D28
A33
B43
D23
C9
A38
A24
A23
A35
E16
C39
B28
D25
D27
D30
D32
B30
C30
B39
B44
D24
D33
B38
C31
D26
D29
D31
C38
B46
B40
B45
B47
B48

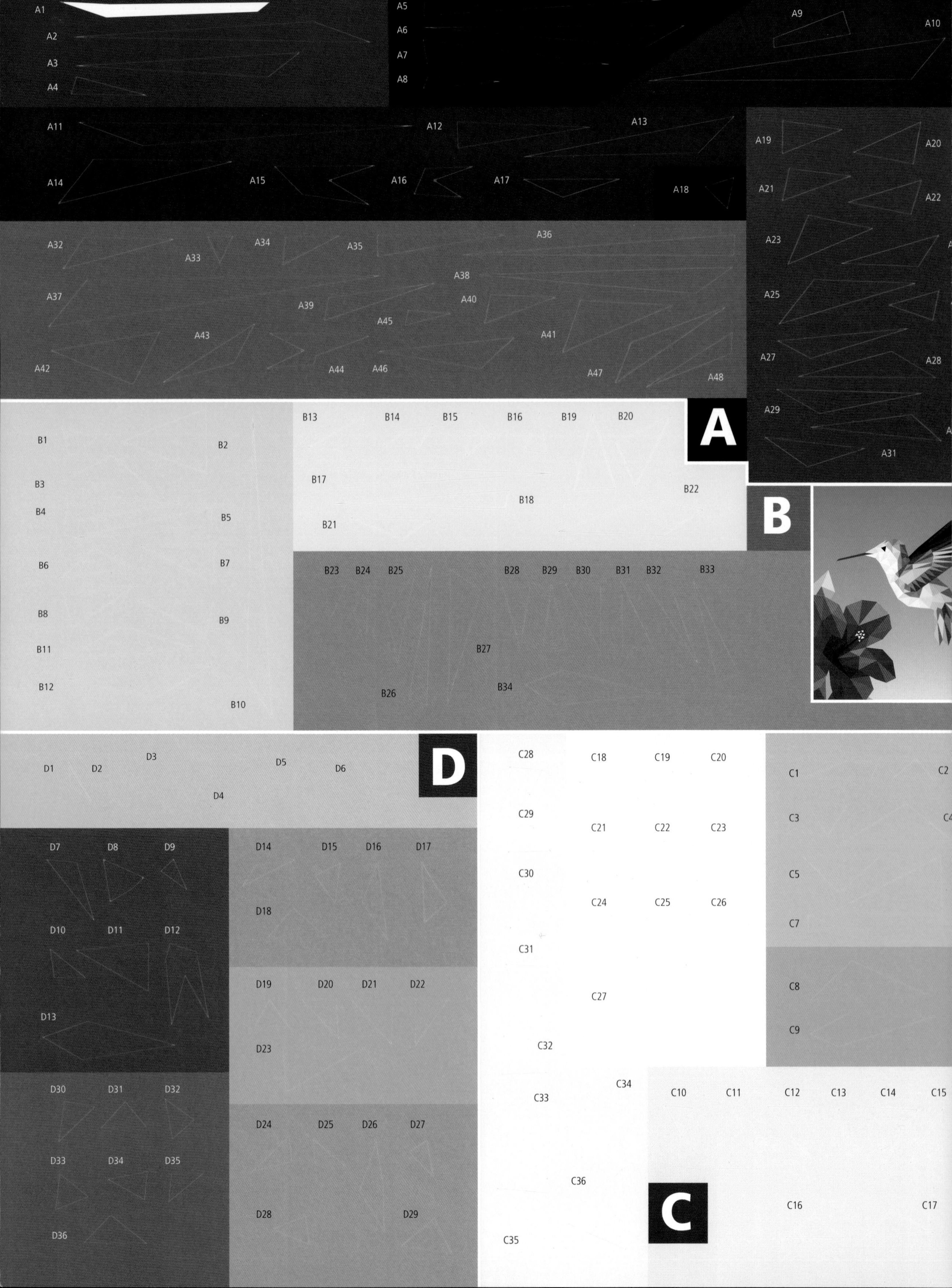
A1
A2
A3
A4
A5
A6
A7
A8
A9
A10
A11
A12
A13
A14
A15
A16
A17
A18
A19
A20
A21
A22
A23
A25
A27
A28
A29
A31
A32
A33
A34
A35
A36
A37
A38
A39
A40
A41
A42
A43
A44
A45
A46
A47
A48
A
B1
B2
B3
B4
B5
B6
B7
B8
B9
B10
B11
B12
B13
B14
B15
B16
B17
B18
B19
B20
B21
B22
B
B23
B24
B25
B26
B27
B28
B29
B30
B31
B32
B33
B34
D1
D2
D3
D4
D5
D6
D
D7
D8
D9
D10
D11
D12
D13
D14
D15
D16
D17
D18
D19
D20
D21
D22
D23
D24
D25
D26
D27
D28
D29
D30
D31
D32
D33
D34
D35
D36
C28
C18
C19
C20
C29
C21
C22
C23
C30
C24
C25
C26
C31
C27
C32
C33
C34
C35
C36
C1
C2
C3
C5
C7
C8
C9
C10
C11
C12
C13
C14
C15
C16
C17
C

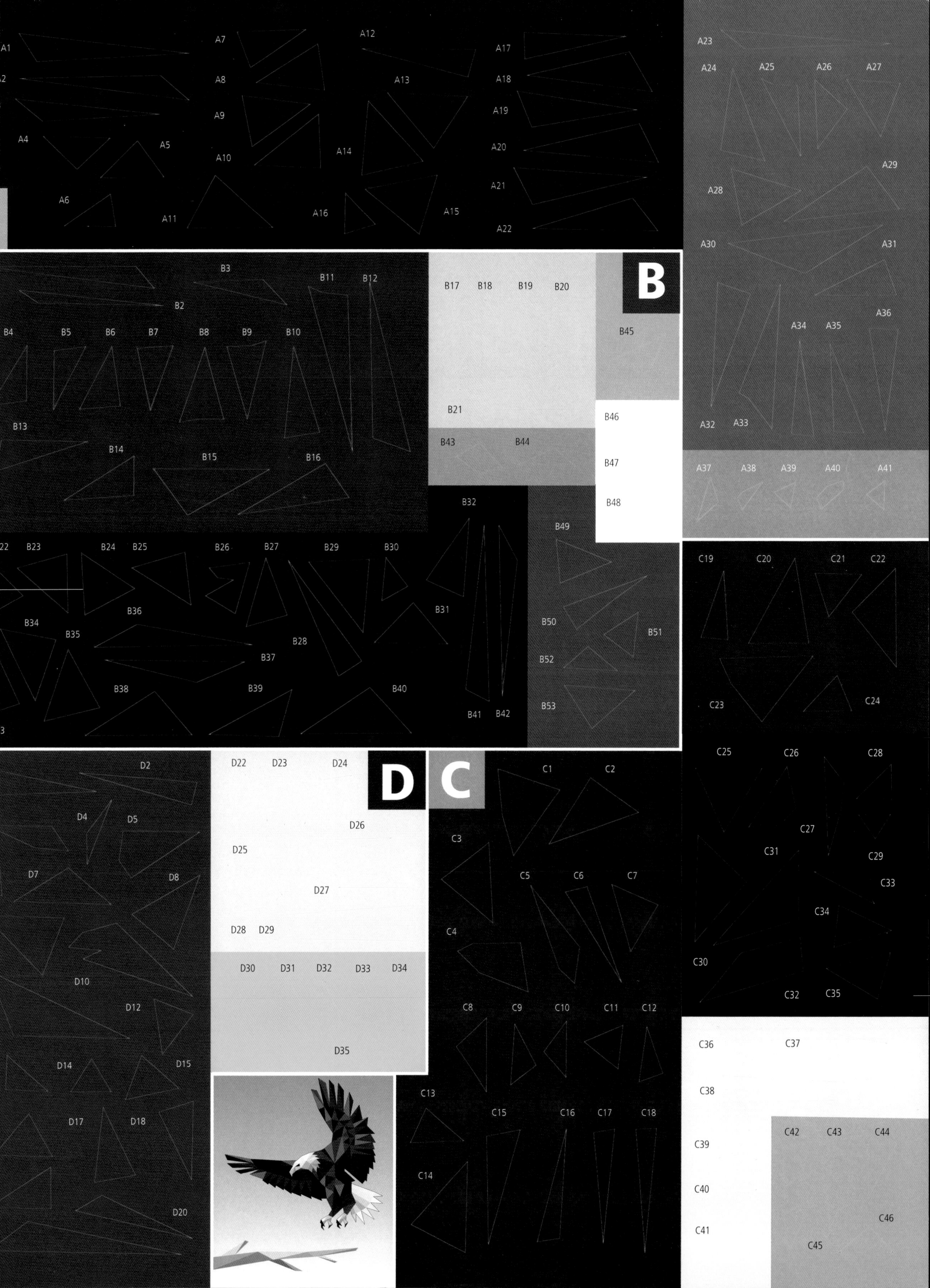
A1 A2 A4 A5 A6 A7 A8 A9 A10 A11 A12 A13 A14 A15 A16 A17 A18 A19 A20 A21 A22
A23 A24 A25 A26 A27 A28 A29 A30 A31 A32 A33 A34 A35 A36 A37 A38 A39 A40 A41
B
B2 B3 B4 B5 B6 B7 B8 B9 B10 B11 B12 B13 B14 B15 B16
B17 B18 B19 B20 B21 B43 B44 B45 B46 B47 B48
B22 B23 B24 B25 B26 B27 B28 B29 B30 B31 B32 B34 B35 B36 B37 B38 B39 B40 B41 B42
B49 B50 B51 B52 B53
C19 C20 C21 C22 C23 C24 C25 C26 C27 C28 C29 C30 C31 C32 C33 C34 C35
D
C
C1 C2 C3 C4 C5 C6 C7 C8 C9 C10 C11 C12 C13 C14 C15 C16 C17 C18
D2 D4 D5 D7 D8 D10 D12 D14 D15 D17 D18 D20
D22 D23 D24 D25 D26 D27 D28 D29 D30 D31 D32 D33 D34 D35
C36 C37 C38 C39 C40 C41 C42 C43 C44 C45 C46

A
A1 A2 A3 A4 A5 A6 A7
A8 A9 A10 A11 A12 A13 A14 A15 A16 A17
A18 A19 A20 A21 A22 A23 A24 A25 A26 A27 A28 A29
A30 A31 A32 A33 A34 A35 A36 A37 A38 A39 A40 A41 A42 A43 A44 A45 A46 A47 A48 A49 A50 A51 A52 A53 A54
B
B1 B2 B3 B4 B5 B6 B7 B8 B9 B10 B11
B12 B13 B14 B15 B16 B17 B18 B19 B20 B21
B22 B23 B24 B25 B26 B27 B28 B29 B30 B31
B32 B33 B34 B35 B36 B37 B39
B40 B41 B42 B43 B44 B45 B46 B47 B48 B49 B50 B51
C
C1 C2 C3 C4 C5 C6 C7 C8
C9 C10 C11 C12 C13 C14 C15
C16 C17 C18 C19 C20 C21 C22
C23 C24 C25 C26 C27 C28 C29 C30 C31 C32 C33 C34 C35
C36 C37 C38 C39 C40 C41 C42 C43 C44 C45 C46 C47
C48 C49 C50 C51
C52 C53 C54 C56 C57
C58 C59 C60

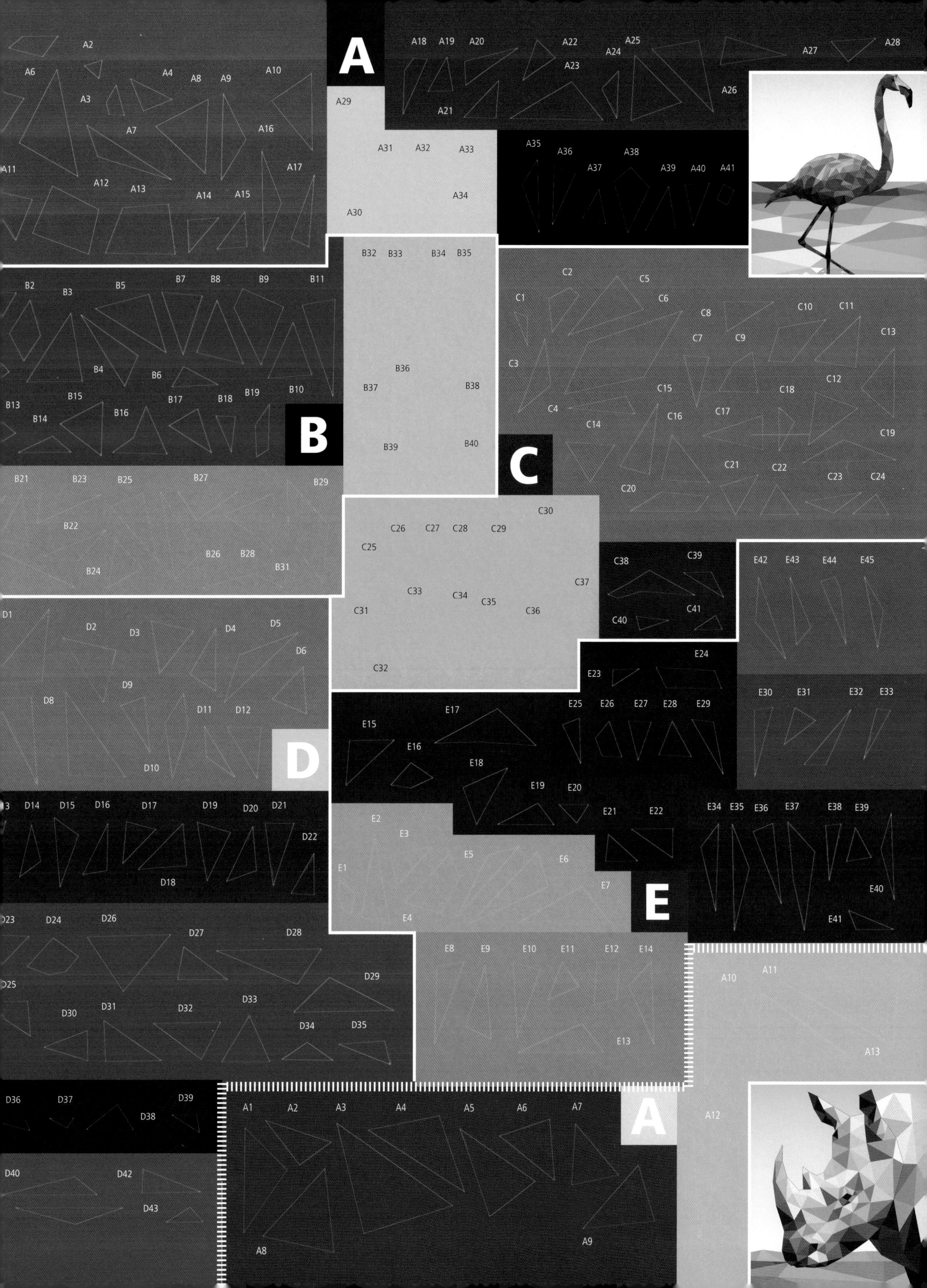
A
A2 A6 A3 A4 A7 A8 A9 A10 A16 A11 A12 A13 A14 A15 A17
A18 A19 A20 A21 A22 A23 A24 A25 A26 A27 A28
A29 A30 A31 A32 A33 A34
A35 A36 A37 A38 A39 A40 A41
B
B2 B3 B4 B5 B6 B7 B8 B9 B10 B11 B13 B14 B15 B16 B17 B18 B19
B21 B22 B23 B24 B25 B26 B27 B28 B29 B31
B32 B33 B34 B35 B36 B37 B38 B39 B40
C
C1 C2 C3 C4 C5 C6 C7 C8 C9 C10 C11 C12 C13 C14 C15 C16 C17 C18 C19 C20 C21 C22 C23 C24
C25 C26 C27 C28 C29 C30 C31 C32 C33 C34 C35 C36 C37
C38 C39 C40 C41
D
D1 D2 D3 D4 D5 D6 D8 D9 D10 D11 D12
D14 D15 D16 D17 D18 D19 D20 D21 D22
D24 D26 D27 D28 D29 D30 D31 D32 D33 D34 D35
D36 D37 D38 D39 D40 D42 D43
E
E1 E2 E3 E4 E5 E6 E7
E8 E9 E10 E11 E12 E13 E14
E15 E16 E17 E18 E19 E20 E21 E22 E23 E24 E25 E26 E27 E28 E29
E30 E31 E32 E33 E34 E35 E36 E37 E38 E39 E40 E41 E42 E43 E44 E45
A
A1 A2 A3 A4 A5 A6 A7 A8 A9 A10 A11 A12 A13

A

A14 A15 A16 A17 A18 A19

A20 A21 A22 A23 A24 A25 A26 A27 A28

A29 A30 A31 A32 A33

A34 A35 A36 A37 A38

B1 B2 B3 B4 B5 B6 B7 B8 B9 B10 B11 B12 B13

B14 B15 B16 B17 B18

B19 B20 B21 B22 B23 B24

B25 B26 B27 B28 B29 B30

C

C10 C11 C12 C13 C14 C15

C1 C2 C3 C4 C5 C6 C7 C8 C9

C16 C17 C18 C19 C20 C21 C22 C23 C24 C25 C26 C27

C28 C29 C30 C31 C32 C33 C34 C35 C36 C37

D1 D2 D3 D4 D5 D6 D7 D8

D9 D10 D11 D12 D13

D14 D15 D16 D17 D18 D19 D20 D21 D22

D23 D24 D25

D

D26 D27

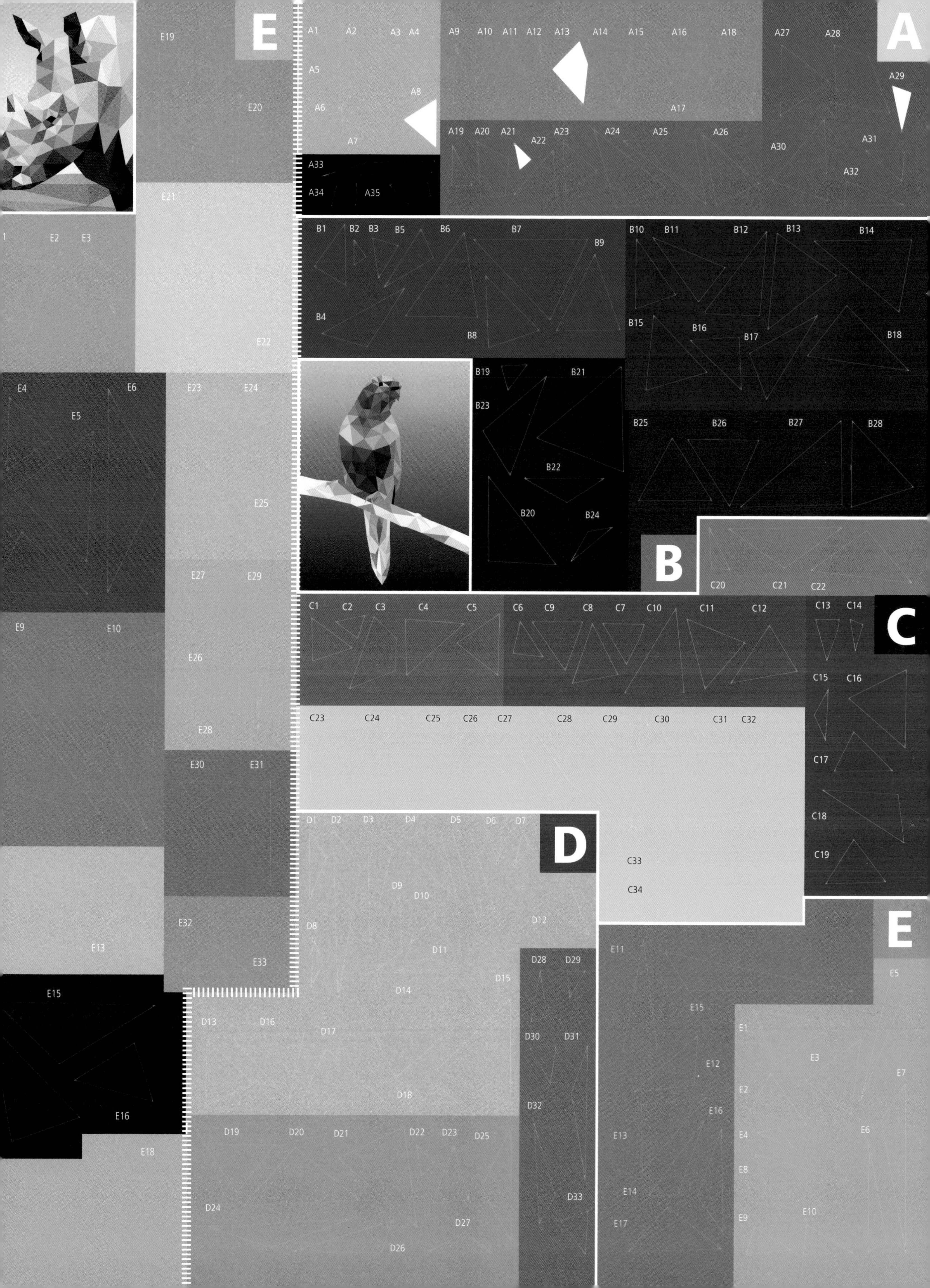
E
A
B
C
D
E
A1 A2 A3 A4 A5 A6 A7 A8 A9 A10 A11 A12 A13 A14 A15 A16 A17 A18 A19 A20 A21 A22 A23 A24 A25 A26 A27 A28 A29 A30 A31 A32 A33 A34 A35
B1 B2 B3 B4 B5 B6 B7 B8 B9 B10 B11 B12 B13 B14 B15 B16 B17 B18 B19 B20 B21 B22 B23 B24 B25 B26 B27 B28
C1 C2 C3 C4 C5 C6 C9 C8 C7 C10 C11 C12 C13 C14 C15 C16 C17 C18 C19 C20 C21 C22 C23 C24 C25 C26 C27 C28 C29 C30 C31 C32 C33 C34
D1 D2 D3 D4 D5 D6 D7 D8 D9 D10 D11 D12 D13 D14 D15 D16 D17 D18 D19 D20 D21 D22 D23 D25 D24 D26 D27 D28 D29 D30 D31 D32 D33
E19 E20 E21 E22 E2 E3 E4 E5 E6 E23 E24 E25 E27 E29 E26 E28 E9 E10 E30 E31 E32 E33 E13 E15 E16 E18
E11 E15 E5 E1 E3 E12 E2 E7 E16 E13 E4 E6 E8 E14 E17 E9 E10

E

E23 E24 E25 E19 E20 E22 E29 E30 E28 E18 E26 E21 E31 E32 E35 E33 E27 E34

B1 B2 B3 B4 B5 B6 B7 B8 B9 B10 B12 B13 B14 B15 B16 B18 B19 B20 B21 B22 B23

B24 B25 B26 B27 B28 B29 B30 B31 B33 B34 B35 B36 B37 B38 B39 B40 B41 B42

B44 B45 B46 B47 B48 B49

A

A1 A2 A3 A4 A5 A6 A7 A8 A9 A10 A11 A12 A13 A14 A15 A16 A17 A18 A19 A20 A21 A22

A23 A24 A25 A26 A27 A28 A29 A30

D38 D39 D40 D41 D42 D43 D44 D45 D46 D47 D48 D49 D50 D51 D52

D1 D2 D3 D4 D5 D6 D7 D8 D9 D10 D11 D12 D13 D14 D15 D16 D17 D18 D19 D20 D21 D22 D23 D24 D25 D26 D27 D28 D29 D30 D31 D32 D33 D34 D35 D36 D37

D

C1 C2 C3 C4 C5 C6 C7 C8 C9 C10 C11 C12 C15 C16 C17 C18 C19 C20 C21 C22 C23 C24 C25 C26 C27 C28 C29 C30 C31

C

C32 C33 C34 C35 C36 C37 C39 C40 C41 C43 C44 C45 C46 C48 C49 C50 C51 C52 C53 C54

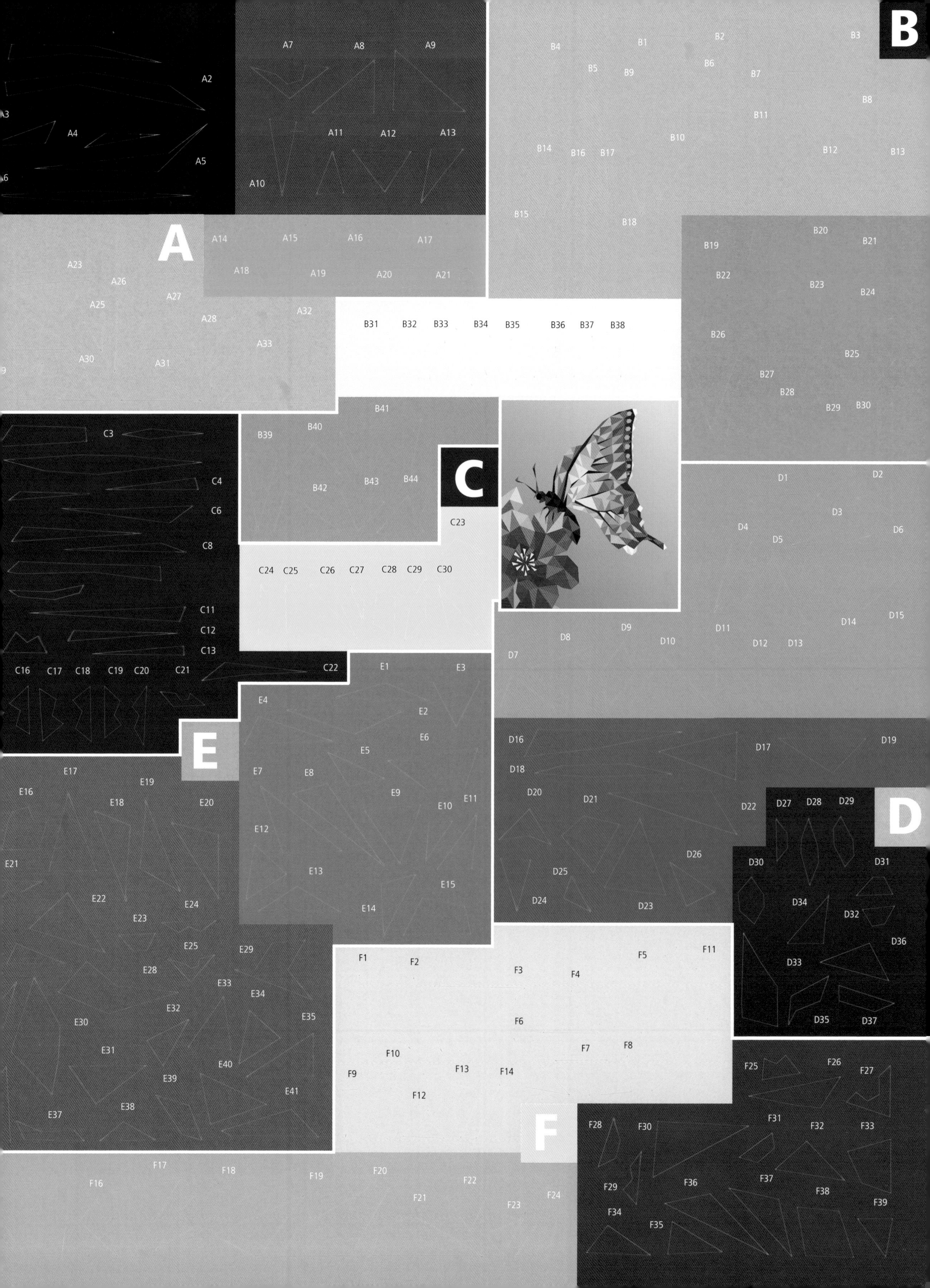
A
A2 A3 A4 A5 A6
A7 A8 A9 A10 A11 A12 A13
A14 A15 A16 A17 A18 A19 A20 A21
A23 A25 A26 A27 A28 A30 A31 A32 A33
B
B1 B2 B3 B4 B5 B6 B7 B8 B9 B10 B11 B12 B13 B14 B15 B16 B17 B18
B19 B20 B21 B22 B23 B24 B25 B26 B27 B28 B29 B30
B31 B32 B33 B34 B35 B36 B37 B38
B39 B40 B41 B42 B43 B44
C
C3 C4 C6 C8 C11 C12 C13 C16 C17 C18 C19 C20 C21 C22
C23 C24 C25 C26 C27 C28 C29 C30
D
D1 D2 D3 D4 D5 D6 D7 D8 D9 D10 D11 D12 D13 D14 D15
D16 D17 D18 D19 D20 D21 D22 D23 D24 D25 D26
D27 D28 D29 D30 D31 D32 D33 D34 D35 D36 D37
E
E1 E2 E3 E4 E5 E6 E7 E8 E9 E10 E11 E12 E13 E14 E15
E16 E17 E18 E19 E20 E21 E22 E23 E24 E25 E28 E29 E30 E31 E32 E33 E34 E35 E37 E38 E39 E40 E41
F
F1 F2 F3 F4 F5 F6 F7 F8 F9 F10 F11 F12 F13 F14
F16 F17 F18 F19 F20 F21 F22 F23 F24
F25 F26 F27 F28 F29 F30 F31 F32 F33 F34 F35 F36 F37 F38 F39

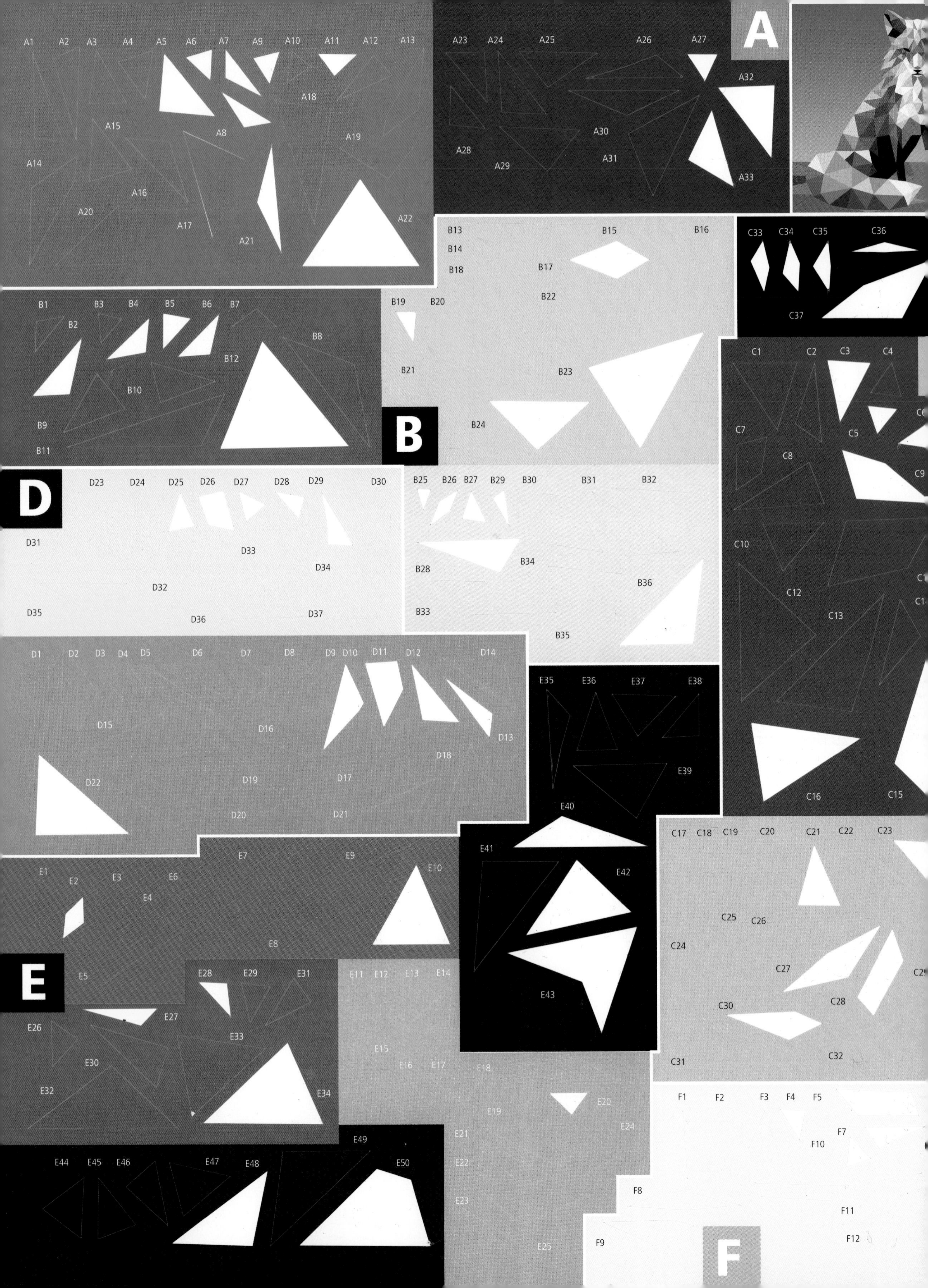
A
A1 A2 A3 A4 A5 A6 A7 A9 A10 A11 A12 A13 A14 A15 A16 A17 A18 A19 A20 A21 A22 A8
A23 A24 A25 A26 A27 A28 A29 A30 A31 A32 A33
B
B1 B2 B3 B4 B5 B6 B7 B8 B9 B10 B11 B12
B13 B14 B15 B16 B17 B18 B19 B20 B21 B22 B23 B24
B25 B26 B27 B28 B29 B30 B31 B32 B33 B34 B35 B36
C33 C34 C35 C36 C37
C1 C2 C3 C4 C5 C7 C8 C9 C10 C12 C13 C15 C16
C17 C18 C19 C20 C21 C22 C23 C24 C25 C26 C27 C28 C30 C31 C32
D
D23 D24 D25 D26 D27 D28 D29 D30 D31 D32 D33 D34 D35 D36 D37
D1 D2 D3 D4 D5 D6 D7 D8 D9 D10 D11 D12 D13 D14 D15 D16 D17 D18 D19 D20 D21 D22
E
E1 E2 E3 E4 E5 E6 E7 E8 E9 E10
E26 E27 E28 E29 E30 E31 E32 E33 E34
E11 E12 E13 E14 E15 E16 E17 E18 E19 E20 E21 E22 E23 E24 E25
E35 E36 E37 E38 E39 E40 E41 E42 E43
E44 E45 E46 E47 E48 E49 E50
F
F1 F2 F3 F4 F5 F7 F8 F9 F10 F11 F12

F14 F15 F16 F17 F18 F19 F20 F21 F22 F23 F24 F25 F26 F27 F28 F29 F30 F31 F32 F33 F34 F35 F36 F37 F38 F39 F40 F41 F42 F43 F44 F45 F46 F47 F48

F

A1 A2 A3 A4 A5 A6 A7 A8 A9 A10 A11 A12 A13 A14 A15 A16 A17 18 A19 A20 21 22 A23 A24 A25

A

C

C1 C2 C3 C4 C5 C6 C7 C8 C9 C10 C11 C12 C13 C14 C15 C16 C17 C18 C19 C20 C21 C22 C23 C24 C25 C26 C27 C28 C29 C30 C31 C32 C33

B1 B2 B3 B4 B5 B6 B7 B8 B9 B10 B11 B12 B13 B14

B

D1 D2 D3 D4 D5 D6 D7 D8 D9 D10 D11 D12 D13 D14 D15 D16 D17 D18 D19 D20 D21 D22 D23 D24 D25 D26 D27 D28 D29 D30 D31 D32 D33 D34 D35 D36 D37 D38 D39 D40 D41 D42 D43 D44 D45

D

E1 E2 E3 E4 E5 E6 E7 E8 E9 E10 E11 E12 E13 E14 E15 E16 E17 E18 E19 E20 E21 E22 E23 E24 E25 E26 E27 E28 E29 E30 E31 E32 E33 E34 E35 E36 E37 E38 E39 E40 E41 E42 E43 E44 E45 E46

E

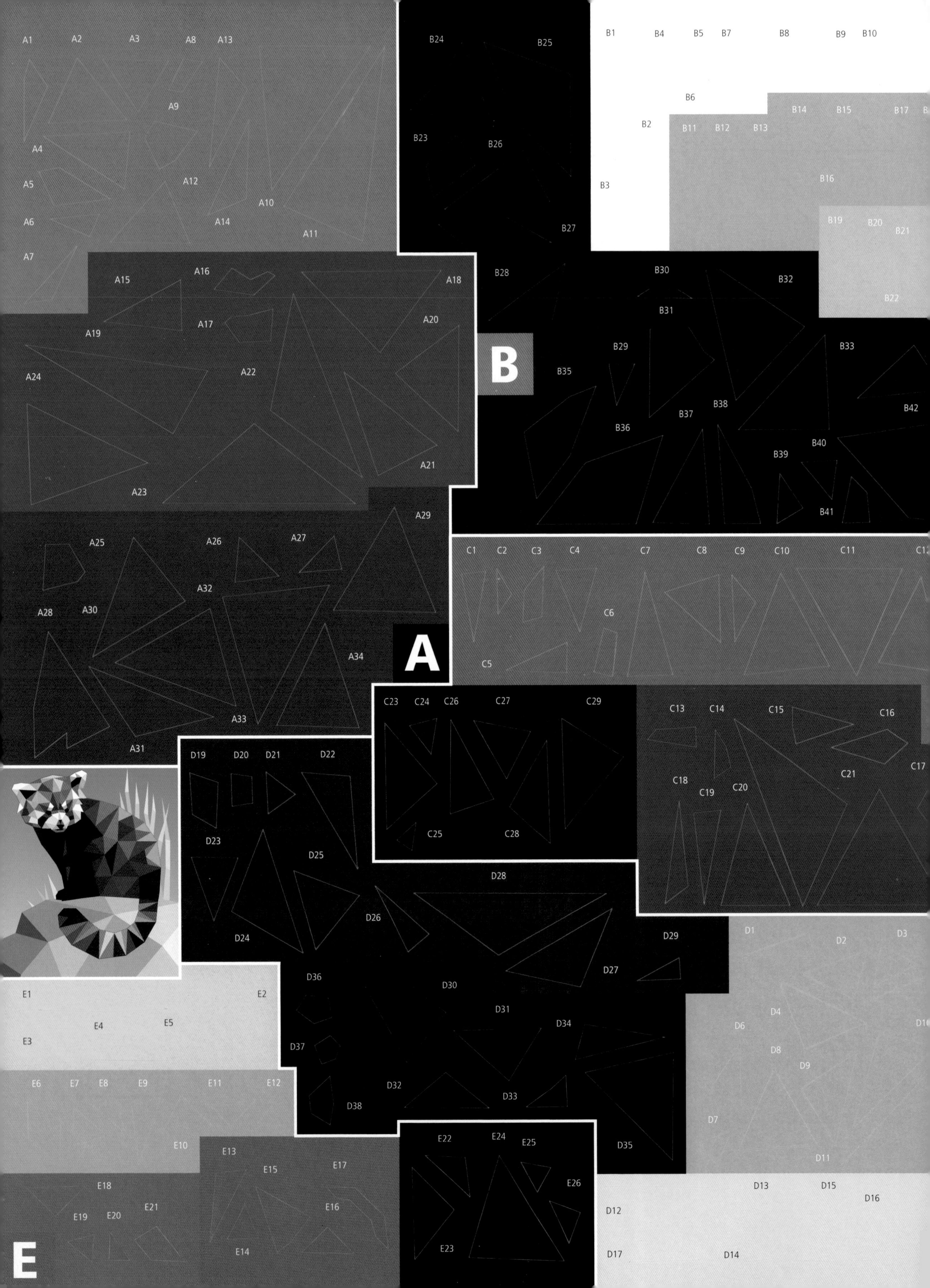
A
A1 A2 A3 A8 A13 A9 A4 A5 A12 A10 A6 A14 A11 A7
A15 A16 A18 A17 A19 A20 A24 A22 A21 A23
A29 A25 A26 A27 A32 A28 A30 A34 A33 A31
B
B24 B25 B23 B26 B27 B28
B1 B4 B5 B7 B8 B9 B10 B6 B2 B3
B14 B15 B17 B11 B12 B13 B16 B19 B20 B21 B22
B30 B32 B31 B29 B35 B33 B42 B38 B37 B36 B40 B39 B41
C
C1 C2 C3 C4 C7 C8 C9 C10 C11 C6 C5
C23 C24 C26 C27 C29 C25 C28
C13 C14 C15 C16 C17 C21 C18 C19 C20
D19 D20 D21 D22 D23 D25 D28 D24 D26 D29 D27 D36 D30 D31 D34 D37 D32 D33 D38 D35
D1 D2 D3 D4 D6 D8 D9 D7 D11 D13 D15 D16 D12 D17 D14
E
E1 E2 E3 E4 E5
E6 E7 E8 E9 E11 E12 E10 E13 E15 E17 E18 E21 E16 E19 E20 E14
E22 E24 E25 E26 E23

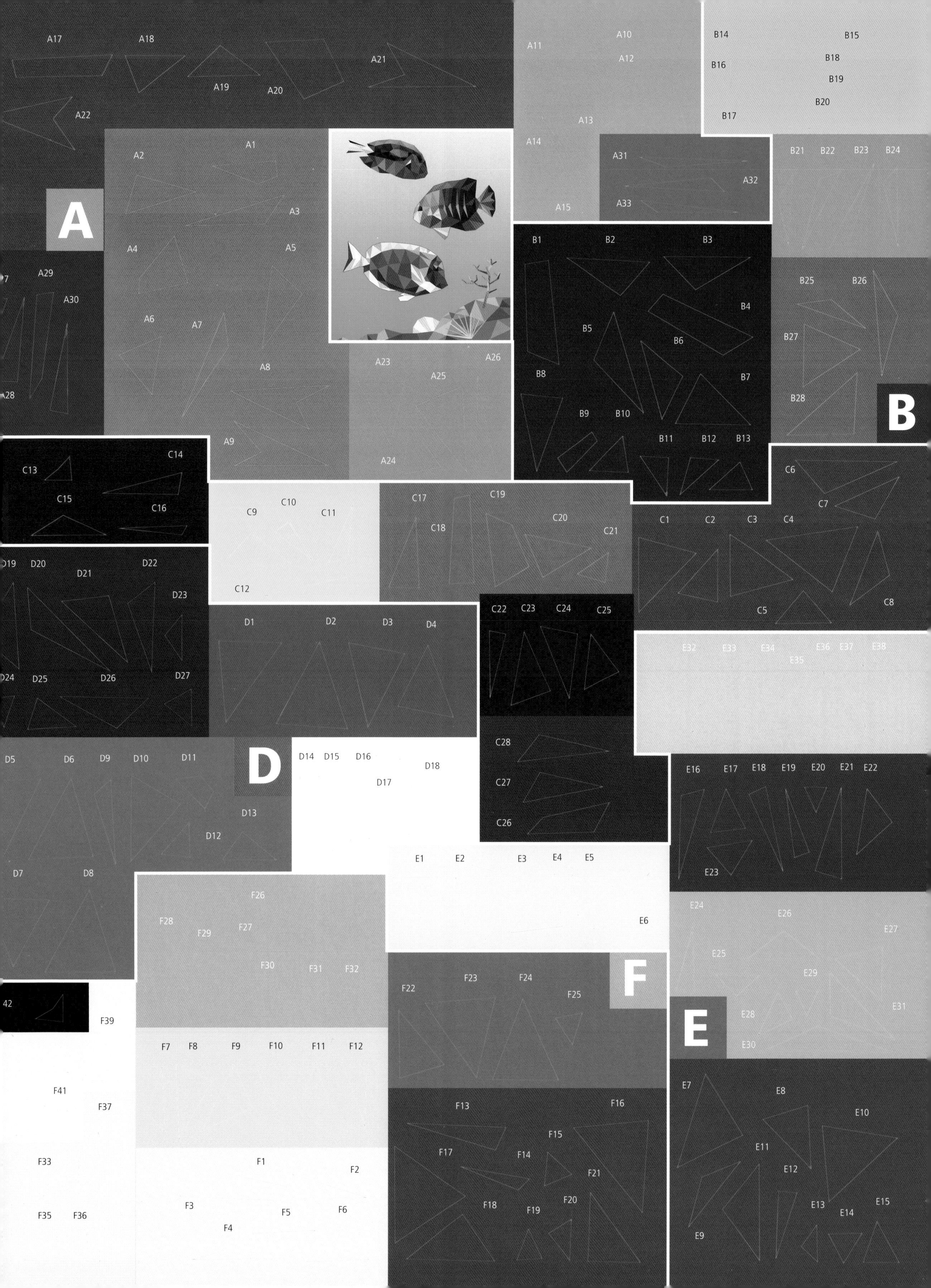
A
A1 A2 A3 A4 A5 A6 A7 A8 A9 A10 A11 A12 A13 A14 A15 A17 A18 A19 A20 A21 A22 A23 A24 A25 A26 A28 A29 A30 A31 A32 A33
B
B1 B2 B3 B4 B5 B6 B7 B8 B9 B10 B11 B12 B13 B14 B15 B16 B17 B18 B19 B20 B21 B22 B23 B24 B25 B26 B27 B28
C1 C2 C3 C4 C5 C6 C7 C8 C9 C10 C11 C12 C13 C14 C15 C16 C17 C18 C19 C20 C21 C22 C23 C24 C25 C26 C27 C28
D
D1 D2 D3 D4 D5 D6 D7 D8 D9 D10 D11 D12 D13 D14 D15 D16 D17 D18 D19 D20 D21 D22 D23 D24 D25 D26 D27
E
E1 E2 E3 E4 E5 E6 E7 E8 E9 E10 E11 E12 E13 E14 E15 E16 E17 E18 E19 E20 E21 E22 E23 E24 E25 E26 E27 E28 E29 E30 E31 E32 E33 E34 E35 E36 E37 E38
F
F1 F2 F3 F4 F5 F6 F7 F8 F9 F10 F11 F12 F13 F14 F15 F16 F17 F18 F19 F20 F21 F22 F23 F24 F25 F26 F27 F28 F29 F30 F31 F32 F33 F35 F36 F37 F39 F41 42

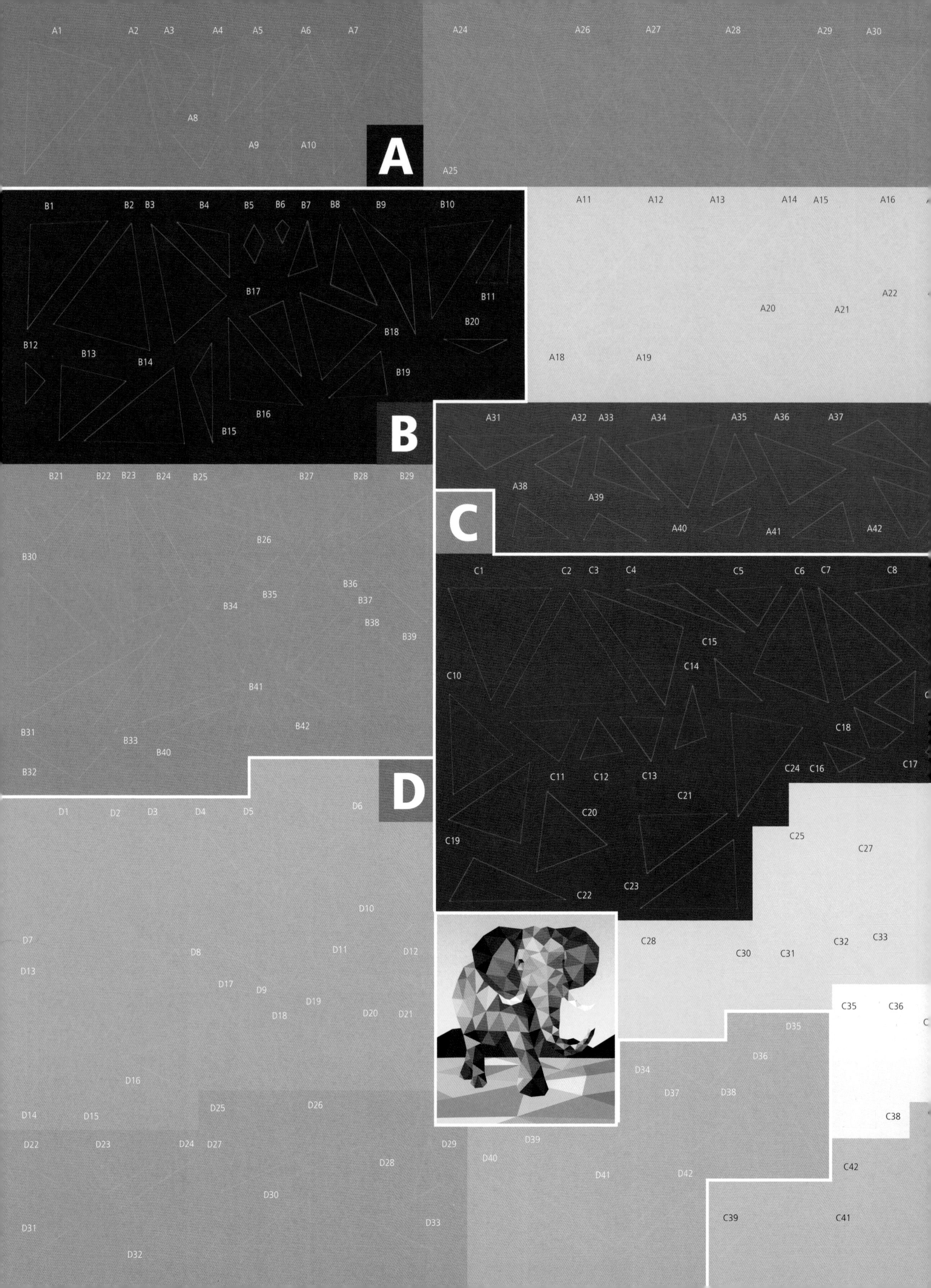

A
A1 A2 A3 A4 A5 A6 A7 A8 A9 A10
A11 A12 A13 A14 A15 A16 A18 A19 A20 A21 A22
A24 A25 A26 A27 A28 A29 A30
A31 A32 A33 A34 A35 A36 A37 A38 A39 A40 A41 A42
B
B1 B2 B3 B4 B5 B6 B7 B8 B9 B10 B11 B12 B13 B14 B15 B16 B17 B18 B19 B20
B21 B22 B23 B24 B25 B26 B27 B28 B29 B30 B31 B32 B33 B34 B35 B36 B37 B38 B39 B40 B41 B42
C
C1 C2 C3 C4 C5 C6 C7 C8 C10 C11 C12 C13 C14 C15 C16 C17 C18 C19 C20 C21 C22 C23 C24
C25 C27 C28 C30 C31 C32 C33 C35 C36 C38 C39 C41 C42
D
D1 D2 D3 D4 D5 D6 D7 D8 D9 D10 D11 D12 D13 D14 D15 D16 D17 D18 D19 D20 D21
D22 D23 D24 D25 D26 D27 D28 D29 D30 D31 D32 D33
D34 D35 D36 D37 D38 D39 D40 D41 D42

E

E1 E2 E3 E4 E5 E6 E7 E8 E9 E20 E13 E19 E11 E12 E15 E14 E21 E16 E17 E18

E22 E23 E24 E25 E26 E27 E28 E29 E30 E31 E35 E34 E33 E37 E38 E36 E39 E45 E42 E41 E40 E43 E44

F

F22 F23 F1 F2 F3 F11 F4 F5 F8 F12 F6 F7 F9 F13 F14 F10 F15 F17 F18 F16 F19 F21 F20

A24 A28 A29 A25 A26 A27

A2 A3 A4 A5 A6 A30 A31 A12 A11 A36 A13 A14 A32 A33 A39 A35 A15 A34 A16 A37 A38 A17 A20 A18 A19 A21 A22 A23

A

B

B1 B2 B3 B4 B5 B6 B7 B8 B9 B10 B11 B12 B13 B14 B16 B17 B19 B20 B24 B25 B22 B23 B21 B18

C13 C14 C15 C16

B27 B28 B30 B34 B31 B32 B35 B29 B33

C1 C2 C3 C4 C5 C6 C7 C8 C9 C10 C11 C12

C

C

C17 C19 C21 C22 C23 C25 C26 C29 C30 C31
C34 C18 C20 C27
C24 C38 C28 C33
C35 C36 C37

D17 D18 D19 D20 D21 D22 D23 D24 D26 D27

D25 D28 D29 D31 D34 D33 D35 D32 D30

D1 D2 D4 D5 D6 D7 D8
D10 D12 D3 D16 D9 D15 D11 D13 D14

D40 D41 D36 D37 D38 D39 D42 D43 D44

E25 E26 E27 E28 E29
E46

E1 E2 E3 E7 E6 E4 E9 E5 E8 E10

E11 E14 E20 E15 E21 E16 E17 E18 E13 E19 E22 E23 E12 E24

E38 E39 E41 E42 E43 E37 E40 E45 E44

E30 E31 E32 E34 E33 E36 E35

A1 A2 A3 A4 A5 A6 A8 A7
A39 A40 A41 A43

A17 A19 A9 A18 A10 A20 A11 A13 A14 A15 A16 A27 A22 A12 A23 A36 A24 A26 A21 A33 A34 A28 A29 A30 A31 A38 A25 A35 A37 A32

A

B2 B3 B4 B5 B6 B7 B8 B9 B10 B11

B13 B17

B15

B16

B18

B19

B28

B14

B25 B26

B27

B22 B23 B24

B29

B21 B30

B31 B32 B33 B35 B38

B34 B36 B37

B39 B43

B40

B44

B41 B46 B48

B45

B47

B

B42

C1 C2 C3 C4 C5 C6 C7

C8

C10

C9 C13

C14

C

C15 C11 C12

D2 D3 D4 D5 D6 D7

D9 D10

D11 D8

D12

D13 D14

D15

D16 D17

C16 C17 C18 C19 C20 C21 C22 C23 C24 C25 C26 C27 C28

C34 C42

C29 C30

C38

C35

C39

C43

C32 C37

C41

C40 C44

C31 C33

C36

D19 D20

D18 D21

D24

D22

D25

D26 D27 D28 D29

D34

D35

D30 D31 D32 D33

D37 D38

D40

D39

D

E1 E2 E3 E4 E5 E6 E7 E8

E12

E9

E14

E17

E11 E13

E16

E10

E18

E15

E